MIEUX COMPRENDRE

L'ENFANCE MALTRAITEÉ

PETE SANDERS et STEVE MYERS
Traduction de DANIÈLE BOURDAIS

GAMMA • ÉDITIONS ÉCOLE ACTIVE

© Éditions Gamma
60120 Bonneuil-les-Eaux
pour l'édition en langue française
Dépôt légal : septembre 1998
Bibliothèque nationale
ISBN 2-7130-1850-1

© Aladdin Books Ltd 1995
Designed and produced by
Aladdin Books Ltd
28 Percy Street
London W1P 0LD

Titre original : *Child Abuse*

Conception graphique :
David West's Children's Books

Adaptation française :
Danièle Bourdais

Corrections :
Anne-Christine Lehmann

Mise en Pages :
Liz White

Exclusivité au Canada :
Éditions École Active
2244, rue de Rouen
Montréal (Québec) H2K 1L5
Dépôts légaux : 3e trimestre 1998
Bibliothèque nationale de Québec,
Bibliothèque nationale du Canada,
ISBN 2-89069-585-9

Loi n° 49-956 du 16 juillet 1949
sur les publications destinées à la
jeunesse

Imprimé en Belgique
Tous droits réservés

Pete Sanders est chargé de cours en
hygiène de vie à l'université de Londres
Nord. Il a été directeur d'école pendant
dix ans et écrit de nombreux ouvrages
d'intérêt social destinés aux enfants.

Steve Myers est auteur indépendant.
Il a participé à l'élaboration d'autres
ouvrages de cette collection et
a travaillé à la réalisation de
plusieurs projets éducatifs.

SOMMAIRE

COMMENT UTILISER CE LIVRE ?

Les livres de cette collection visent à aider les jeunes à mieux comprendre les problèmes qu'ils rencontrent.

Chaque ouvrage peut être abordé par l'enfant seul ou accompagné d'un parent, d'un professeur ou d'un éducateur pour approfondir certaines idées.

Les problèmes posés dans les B.D. invitent à la discussion et sont commentés les pages suivantes.

Le dernier chapitre « Et toi, que peux-tu faire ? » propose quelques conseils pratiques et une liste d'adresses utiles.

INTRODUCTION

LA PLUPART DES PERSONNES NE SONGERAIENT JAMAIS À FAIRE DÉLIBÉRÉMENT DU MAL À UN ENFANT OU À UN ADOLESCENT, NI À LE RENDRE MALHEUREUX.

Hélas, beaucoup d'enfants et d'adolescents sont maltraités.

Ce livre explique ce qu'est la maltraitance sous toutes ses formes. Chaque chapitre aborde un aspect différent de la question, illustré par une histoire à épisodes. Les personnages ont à faire face à des situations que beaucoup de personnes connaissent à un moment donné de leur vie.

Après chaque épisode, nous examinons les thèmes soulevés pour élargir la discussion. À la fin du livre, tu comprendras mieux ce qu'est la maltraitance, pourquoi certaines personnes deviennent des bourreaux et les effets de ces mauvais traitements sur les victimes et leur entourage.

QU'EST-CE QUE LA MALTRAITANCE ?

CHAQUE ENFANT A LE DROIT DE GRANDIR SANS QU'ON LE FASSE SOUFFRIR ET LE DROIT DE RECEVOIR DES SOINS ESSENTIELS.

Pourtant, certaines personnes choisissent d'ignorer les droits et les sentiments des enfants.

On maltraite quelqu'un quand on lui fait volontairement du mal, que ce soit physiquement ou mentalement. Il nous arrive à tous de souffrir parce que quelqu'un nous a fait mal. Mais faire mal par accident et faire mal volontairement sont deux choses très différentes.

Il existe quatre formes de maltraitance : les violences physiques, psychologiques, sexuelles et la négligence. Certaines victimes subissent plusieurs de ces mauvais traitements à la fois. Elles peuvent en souffrir une seule fois, ou alors pendant de longues années. On pense parfois que certains mauvais traitements sont plus graves que d'autres. Quoiqu'il en soit, on doit se rappeler qu'aucune forme de maltraitance n'est acceptable et que la victime n'est jamais responsable.

Chaque enfant a le droit d'être aimé et protégé. Toute forme de maltraitance est inadmissible.

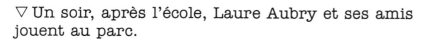

▽ Un soir, après l'école, Laure Aubry et ses amis jouent au parc.

▽ Fatima et Simon s'approchent de Laure.

LÉA, TU AS VU L'HEURE ! IL EST TARD, IL FAUT QUE JE RENTRE. TU VIENS, NOÉ ?

JE RESTE ENCORE UN PEU. QU'EST-CE QU'ELLE A, LAURE ?

SA ROBE EST DÉCHIRÉE.

TA MÈRE POURRA PEUT-ÊTRE LA RECOUDRE.

TU PARLES D'UNE HISTOIRE POUR UN BOUT DE CHIFFON ! TA MÈRE A EU ÇA DANS UNE ŒUVRE DE CHARITÉ !

LAURE, REVIENS ! NOÉ NE PENSAIT PAS CE QU'IL DISAIT !

LAISSE TOMBER, ELLE VA REVENIR.

◁ Laure est si bouleversée qu'elle part en courant dans le bois.

CE QUE TU ES MÉCHANT ! EN TOUT CAS, ELLE N'EST PAS TOUJOURS SAOULE COMME TON PÈRE, ELLE.

POURVU QU'ELLE NE SE FASSE PAS ATTAQUER, COMME CETTE FILLE, L'AUTRE JOUR.

LAURE DEVRAIT ÊTRE REVENUE. POURVU QU'IL NE LUI SOIT RIEN ARRIVÉE.

ALLEZ, ON LA CHERCHE ? APRÈS TOUT, C'EST DE MA FAUTE SI ELLE EST PARTIE.

◁ Ils cherchent Laure pendant un moment, mais en vain. Elle a dû rentrer chez elle.

ON DEVRAIT ÊTRE TOUS RENTRÉS ! JE VAIS ENCORE PRENDRE UN SAVON ET ÊTRE PRIVÉE DE SORTIES.

▽ Le lendemain, à l'école, ses copains attendent Laure.

▽ Noé vient s'excuser auprès de Laure.

AH, TE VOILÀ ! QU'EST-CE QUI T'EST ARRIVÉE HIER SOIR ? NOUS NOUS INQUIÉTIONS.

MOI AUSSI, JE REGRETTE CE QUE J'AI DIT SUR TON PÈRE. QU'EST-CE QUE TU AS À L'ŒIL ? TU AS REÇU UN COUP ?

ON T'A CHERCHÉE DES HEURES. CHEZ MOI, LE REPAS ÉTAIT FROID ET MA MÈRE ÉTAIT FURIEUSE !

DÉSOLÉE, MAIS NOÉ M'A VRAIMENT ÉNERVÉE, UNE FOIS DE PLUS.

NON, JE ME SUIS COGNÉ DANS UN PLACARD. TU SAIS BIEN, ÇA M'ARRIVE SOUVENT, CE GENRE DE CHOSES.

Fatima a peur d'arriver en retard chez elle.
Aucune famille ne se ressemble. Toutes
ont des façons différentes d'élever leurs
enfants : certaines optent pour une
discipline très stricte, d'autres plus souple.

**La plupart des familles ont des règles
que les enfants doivent respecter.**
Ces règles peuvent paraître injustes, surtout
quand on voudrait avoir plus de liberté.
Par exemple, on exige fréquemment que tu
sois rentré à la maison à une certaine heure.
Simple question de sécurité. Si tu es en
retard, aie un comportement adulte et
responsable : téléphone. Tu éviteras ainsi
beaucoup d'inquiétude.

Cela dépend parfois du milieu culturel
et religieux. En général, les familles
agissent comme elles le font par souci du
bien-être et de la sécurité des enfants.

Laure est partie, seule, dans le bois.
Pour éviter de mauvaises rencontres, il vaut
mieux ne pas aller dans les endroits
sombres et isolés. Emprunte toujours des
sentiers bien éclairés et, si possible, ne sors
pas seul. Bien qu'en général les enfants
maltraités le sont par des personnes
de leur entourage, ne va jamais avec
quelqu'un que tu ne connais pas, même si
cette personne connaît ton nom ou se dit
être l'ami de quelqu'un que tu connais.

VIOLENCES PHYSIQUES ET NÉGLIGENCE

IL Y A VIOLENCE PHYSIQUE QUAND ON BLESSE VOLONTAIREMENT UN ENFANT DONT ON A LA CHARGE. IL Y A NÉGLIGENCE QUAND ON NE RÉPOND PAS À SES BESOINS ESSENTIELS, TANT PHYSIQUES QU'AFFECTIFS.

Frapper, donner des coups de pied, de poing, mordre, griffer, secouer violemment et brûler sont des formes de violence physique. Cela peut aller jusqu'à droguer ou empoisonner un enfant.
Les blessures de certaines victimes de violences physiques (fractures, brûlures de cigarettes) sont très graves, parfois fatales. Ce n'est pas toujours aussi spectaculaire : des enfants peuvent être maltraités pendant des années sans que leurs blessures ne nécessitent de soins particuliers, mais ils ont souvent des coupures ou des traces de coups qu'ils essaient tant bien que mal de justifier.

On parle de négligence quand un enfant n'a pas assez à manger, qu'on le laisse longtemps seul, dans le froid et dans le noir, sans le faire soigner quand il est malade.
Souffrir de négligence, c'est être privé de ce qui est essentiel à notre bien-être physique et affectif. Rien à voir donc avec le fait que, parfois, on ne nous accorde pas tous nos caprices ! Dans les cas extrêmes de privation, des enfants meurent de faim parce qu'on ne leur donne rien à manger – alors que le reste de la famille mange à sa faim – ou qu'ils sont complètement abandonnés à eux-mêmes.

Certains enfants restent des heures, voire des jours, sans qu'on s'occupe d'eux.

▽ Un mois plus tard, le groupe se retrouve pour aller au cinéma.

J'AI MON VÉLO. JE POURRAIS ALLER CHEZ LUI, VOIR CE QUI SE PASSE.

▽ Noé ouvre la porte. Il a pleuré. Il dit qu'il ne peut pas sortir.

NOÉ DEVRAIT ÊTRE LÀ, ÇA FAIT DES SEMAINES QU'IL EN PARLE DE CE FILM, ET IL COMMENCE DANS UNE HEURE.

MAIS POURQUOI ? TU DEVAIS VENIR AU CINÉ AVEC NOUS !

C'EST ENCORE TON PÈRE ? C'EST QUOI, CETTE FOIS-CI ? IL T'A FRAPPÉ ?

JE VIENS AVEC TOI. TU CONNAIS SON PÈRE !

▽ Soudain, le père de Noé apparaît à la porte.

VIENS LAURE, IL VAUT MIEUX PARTIR. À LUNDI, NOÉ !

J'AI OUBLIÉ D'ACHETER SON JOURNAL, HIER SOIR. PARTEZ, ON PARLERA PLUS TARD. VOUS ALLEZ AGGRAVER LES CHOSES.

QU'EST-CE QUE VOUS FAITES LÀ, VOUS DEUX ? FAITES CE QUE NOÉ VOUS DIT, DÉGAGEZ !

▽ Pas de Noé à l'école le lundi. Le mercredi, ses amis commencent à s'inquiéter.

SI SEULEMENT ON POUVAIT L'AIDER ! TOUT LE MONDE SAIT COMMENT EST SON PÈRE QUAND IL A BU.

OUI, MAIS QUOI ? SIMON EST PASSÉ CHEZ NOÉ HIER SOIR. SA MÈRE A DIT QU'IL ÉTAIT MALADE. C'EST PEUT-ÊTRE VRAI. APRÈS TOUT, SON PÈRE NE L'A PAS FRAPPÉ.

▽ Laure passe chercher son frère, à l'école, avant de rentrer. Une lettre de sa sœur Sophie l'attend.

ÇA RISQUE D'ÊTRE PIRE SI ON EN PARLE. BON, J'Y VAIS. JE DOIS PASSER PRENDRE LUC, MES PARENTS TRAVAILLENT TARD CE SOIR.

LAURE, DÉPÊCHE-TOI, J'AI FAIM.

OH, TU M'AS FAIT PEUR ! APRÈS MON BAIN, J'AI MIS LE TALC DE MAMAN. TU ES DE BONNE HUMEUR, CE SOIR !

COMMENT VA MA PRINCESSE, CE SOIR ? HUM ! TU SENS BON !

UNE MINUTE. JE LIS. SOPHIE SE PLAÎT À L'UNIVERSITÉ. ELLE A L'AIR PLUS HEUREUSE LÀ QU'À LA MAISON.

△ Laure est très surprise. Son père n'est pas si affectueux d'habitude.

Laure et ses amis savent que le père de Noé bat son fils.

Ils pensent que, parce qu'ils ne sont pas des adultes, ils ne peuvent rien faire, ou qu'ils ne pourraient qu'aggraver les choses. Ce n'est pas facile de savoir quoi faire dans de telles situations. Si tu penses qu'un jeune est maltraité, il faut en parler à un adulte en qui tu as confiance. Lui pourra peut-être intervenir.

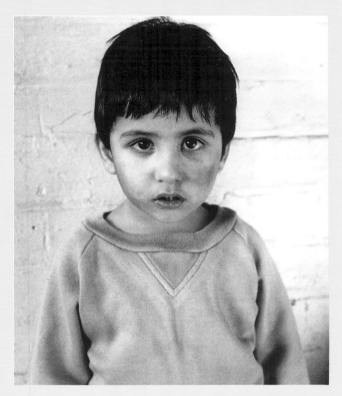

Pour certains, une claque est une punition efficace.

En général, on donne une tape ou une claque à un enfant quand il fait une bêtise, pour qu'il comprenne qu'il ne faut pas recommencer. Pour certains, cela ne fait pas de mal et ne traumatise pas à vie. D'autres s'opposent à toute forme de châtiments corporels.

Laure est un peu abandonnée à elle-même.

Vus les horaires de ses parents, Laure, bien que très jeune encore, doit passer prendre son frère, à l'école, avant de rentrer et préparer le repas. Bien qu'il soit illégal, dans certains pays, de laisser seuls à la maison des enfants au-dessous d'un certain âge, beaucoup sont dans le cas de Laure. Souvent, cela est dû au manque d'argent des parents.

VIOLENCES PSYCHOLOGIQUES ET SEXUELLES

IL Y A VIOLENCE PSYCHOLOGIQUE QUAND ON DÉTRUIT LA CONFIANCE EN SOI ET L'ÉQUILIBRE AFFECTIF D'UN JEUNE. IL Y A VIOLENCE SEXUELLE QUAND ON ABUSE DE LUI SEXUELLEMENT.

Ne jamais manifester ni amour, ni affection à un enfant, le ridiculiser en permanence sont des formes de violence psychologique.
Les victimes de violences psychologiques s'entendent souvent dire qu'elles ne méritent pas d'être aimées. Elles ne reçoivent jamais de compliments, ni d'encouragements. La personne qui les maltraite oscille entre la gentillesse et la cruauté, ce qui est très déstabilisant pour l'enfant.

L'abus sexuel a lieu quand on force un enfant à avoir des relations sexuelles ou quand on le touche de façon indécente.
L'abus sexuel impose à l'enfant des expériences d'adulte avant qu'il n'y soit physiquement ou émotionnellement prêt : l'agresseur peut lui demander de lui toucher certaines parties du corps ou lui montrer des photos obscènes. Au début, son comportement peut paraître innocent et l'enfant ne réalise pas ce qui se passe.

Se faire critiquer, railler ou humilier, souvent devant les autres, fait partie de ce que vit la victime de violences psychologiques.

▽ Un matin, la mère de Laure se prépare à partir au travail.

MAMAN, TU PEUX M'ACHETER MES NOUVELLES BASKETS ? LÉA EN A ET TU M'EN AVAIS PROMIS !

LAURE, JE FAIS DE MON MIEUX ! TU N'AS PAS L'AIR DE RÉALISER QUE TOUT COÛTE CHER !

IL FAUT ENCORE QUE TU TRAVAILLES TARD, MAMAN ?

TU SAIS BIEN QUE OUI, CHÉRI. LAURE, TON PÈRE RENTRE À 9 HEURES. FAIS EN SORTE QUE LUC SOIT COUCHÉ QUAND IL RENTRERA.

EH BIEN OUI, COMME D'HABITUDE !

▽ Quand son père rentre, Laure lui parle des baskets et de la réaction de sa mère.

▷ Mme Aubry est partie. Laure a le cafard.

CE N'EST PAS JUSTE ! MAMAN M'AVAIT PROMIS DES BASKETS POUR LA SEMAINE PROCHAINE. COMMENT JE VAIS FAIRE, MOI ?

NE T'EN FAIS PAS, PRINCESSE. JE VAIS VOIR CE QUE JE PEUX FAIRE. COMPTE SUR MOI !

▽ Laure sourit. Son père monte prendre un bain.

RENDS-MOI UN SERVICE, PRINCESSE, APPORTE-MOI LE JOURNAL !

D'ACCORD, TOUT DE SUITE !

▽ Quand elle arrive en haut, son père est déjà dans son bain.

MERCI, PRINCESSE ! ENTRE, ON POURRAIT BAVARDER UN PEU, TOUS LES DEUX !

PAS QUAND TU ES DANS TON BAIN, PAPA !

▽ Le téléphone sonne. Soulagée, Laure court y répondre. C'est Noé.

ÇA VA ? ON S'INQUIÉTAIT TOUS POUR TOI, COMME TU N'ÉTAIS PAS À L'ÉCOLE. DIS-MOI, NOÉ, TON PÈRE S'EN EST ENCORE PRIS À TOI ?

TU NE COMPRENDS PAS : MON PÈRE PEUT ÊTRE TRÈS SYMPA. SEULEMENT QUAND IL BOIT, IL A DES SAUTES D'HUMEUR, C'EST ATROCE.

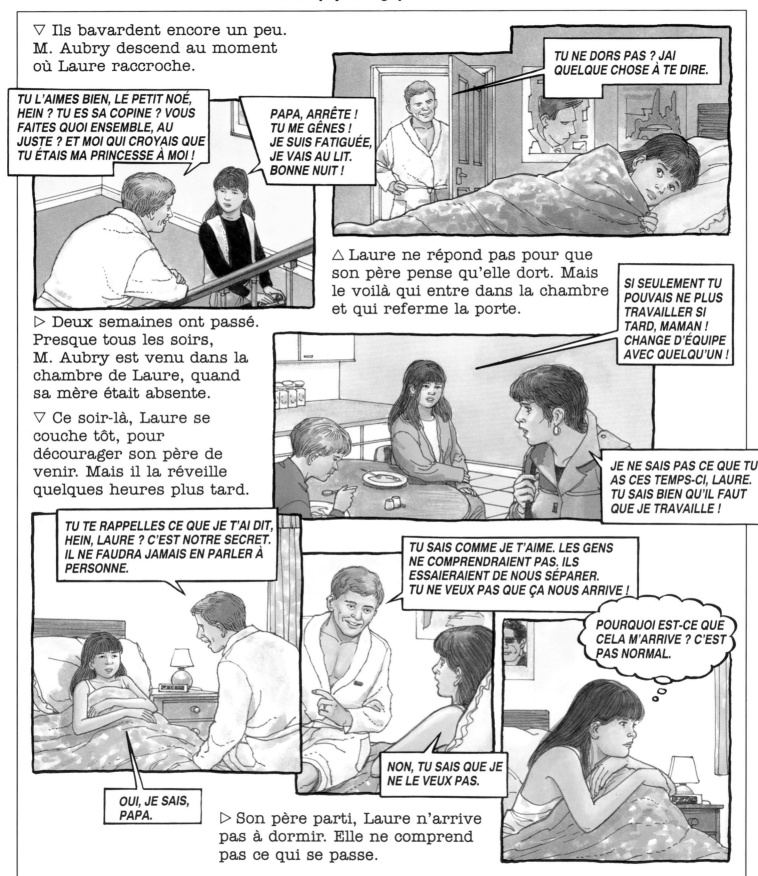

▽ Ils bavardent encore un peu. M. Aubry descend au moment où Laure raccroche.

TU L'AIMES BIEN, LE PETIT NOÉ, HEIN ? TU ES SA COPINE ? VOUS FAITES QUOI ENSEMBLE, AU JUSTE ? ET MOI QUI CROYAIS QUE TU ÉTAIS MA PRINCESSE À MOI !

PAPA, ARRÊTE ! TU ME GÊNES ! JE SUIS FATIGUÉE, JE VAIS AU LIT. BONNE NUIT !

TU NE DORS PAS ? J'AI QUELQUE CHOSE À TE DIRE.

△ Laure ne répond pas pour que son père pense qu'elle dort. Mais le voilà qui entre dans la chambre et qui referme la porte.

SI SEULEMENT TU POUVAIS NE PLUS TRAVAILLER SI TARD, MAMAN ! CHANGE D'ÉQUIPE AVEC QUELQU'UN !

▷ Deux semaines ont passé. Presque tous les soirs, M. Aubry est venu dans la chambre de Laure, quand sa mère était absente.

▽ Ce soir-là, Laure se couche tôt, pour décourager son père de venir. Mais il la réveille quelques heures plus tard.

JE NE SAIS PAS CE QUE TU AS CES TEMPS-CI, LAURE. TU SAIS BIEN QU'IL FAUT QUE JE TRAVAILLE !

TU TE RAPPELLES CE QUE JE T'AI DIT, HEIN, LAURE ? C'EST NOTRE SECRET. IL NE FAUDRA JAMAIS EN PARLER À PERSONNE.

TU SAIS COMME JE T'AIME. LES GENS NE COMPRENDRAIENT PAS. ILS ESSAIERAIENT DE NOUS SÉPARER. TU NE VEUX PAS QUE ÇA NOUS ARRIVE !

POURQUOI EST-CE QUE CELA M'ARRIVE ? C'EST PAS NORMAL.

NON, TU SAIS QUE JE NE LE VEUX PAS.

OUI, JE SAIS, PAPA.

▷ Son père parti, Laure n'arrive pas à dormir. Elle ne comprend pas ce qui se passe.

Les auteurs d'abus sexuels utilisent différents moyens pour atteindre leur but.

Leur premier souci est de faire en sorte que personne ne découvre ce qu'ils font, parce qu'ils savent que c'est mal. Ils ne reculent devant rien pour que leur jeune victime se taise et garde leur « petit secret ». Certains achètent son silence avec des cadeaux et des petites douceurs ; d'autres utilisent la menace et lui font croire que tout est de sa faute.

Le désir sexuel est tout à fait naturel.

Mais il est important qu'il s'exprime de façon appropriée. Il est inadmissible qu'un adulte profite de la curiosité d'un jeune sur le sexe. Un enfant abusé ne doit, en aucun cas, penser que sa curiosité est la cause des abus.

Le père de Laure lui a dit que ce qui s'est passé est un secret.

On a tous des secrets. Pour beaucoup de jeunes, révéler un secret, c'est une trahison. L'agresseur le sait et en profite pour effrayer sa victime : il lui fait croire que si elle dévoile leur secret, elle aura de gros problèmes. Il lui dit aussi que si elle en parle, personne ne la croira. En réalité, c'est le contraire, car la plupart des adultes prennent les allégations d'abus sexuels très au sérieux.

LES CAUSES DE LA MALTRAITANCE

POURQUOI Y A-T-IL DES ENFANTS MALTRAITÉS ET DES ADULTES QUI MALTRAITENT ? LES EXPLICATIONS NE SONT PAS SIMPLES. LA MALTRAITANCE AFFECTE FILLES ET GARÇONS DE TOUT ÂGE ET DE TOUS MILIEUX SOCIAUX, RACES, RELIGIONS OU CULTURES.

L'agresseur est souvent une personne que l'enfant connaît et en qui il a confiance : parent, membre ou ami de la famille, voisin, baby-sitter, gardien(ne) ou professeur.
Les drogues et l'alcool affectent la façon de penser et de se comporter. Ils peuvent rendre violent et sont à l'origine de certains cas de maltraitance, comme peuvent l'être aussi la pauvreté et la précarité.

Quand un adulte ne maîtrise plus ses sentiments, il lui arrive de s'en prendre à plus vulnérable que lui, un enfant à charge par exemple. Des recherches montrent que ceux qui maltraitent ont souvent eux-mêmes été des enfants maltraités. Bien que les mauvais traitements soient souvent infligés par un proche, il faut tout de même se méfier des étrangers et refuser de leur parler ou de les suivre.

Les problèmes d'argent ou de logement peuvent peser lourd sur certains parents, surtout s'ils ne reçoivent aucune aide. Pourtant, la maltraitance existe aussi dans les milieux aisés.

▽ Deux mois se sont écoulés. Un soir, après l'école, Noé voit deux filles brutaliser Fatima.

▽ Les deux filles lâchent Fatima. Elles se moquaient d'elle.

HÉ ! OH ! QU'EST-CE QUE VOUS FAITES ? LAISSEZ-LA TRANQUILLE !

T'OCCUPE ! ÇA TE REGARDE PAS !

ÉCOUTE, JE DOIS Y ALLER. JE N'AI PAS INTÉRÊT À ÊTRE EN RETARD, SINON GARE À MOI ! MAIS TU ES SÛRE QUE ÇA VA ?

SI, ÇA NOUS REGARDE ! C'EST NOTRE COPINE.

C'EST PAS VRAI ! QU'EST-CE QUE VOUS EN SAVEZ, VOUS ? IL N'EST PAS SI MAL, MON PÈRE. ILS SONT SI SUPER QUE ÇA VOS PARENTS À VOUS ?

OUI, OUI, ÇA VA. VAS-Y, SINON TON PÈRE NE VA PAS ÊTRE CONTENT.

ÇA DOIT ÊTRE ATROCE DE VIVRE AVEC LUI. IL EST TOUJOURS EN COLÈRE.

MON PÈRE NE ME TRAITERAIT JAMAIS COMME CELUI DE NOÉ. IL NE ME FERAIT JAMAIS DE MAL.

△ Noé, vexé, rentre chez lui en courant.

▽ Laure partie, Léa dit qu'elle la trouve bizarre depuis quelque temps.

IL FAUT QUE J'Y AILLE. JE DOIS PASSER PRENDRE LUC CE SOIR. À PLUS TARD !

OUI, J'AI REMARQUÉ. ON DIRAIT QU'ELLE EST PLUS DISTANTE.

▽ À la maison, Laure prépare le repas de Luc et attend le retour de sa mère.

SI SEULEMENT MAMAN POUVAIT RENTRER AVANT PAPA CE SOIR !

JE CROIS QU'ELLE EN A ASSEZ QUE SES PARENTS NE SOIENT JAMAIS LÀ. C'EST TOUJOURS À ELLE DE S'OCCUPER DE SON FRÈRE. CE N'EST PAS JUSTE.

Il arrive que les enfants servent d'intermédiaires entre les parents.
Parfois, la mésentente entre les parents est telle qu'ils en oublient les effets que cela peut avoir sur leurs enfants.

Il arrive que des enfants maltraitent d'autres enfants.
Ce genre de violence est inacceptable, quels que soient le jeune et ses motifs pour maltraiter l'autre.

Un agresseur, jeune ou vieux, homme ou femme, est souvent quelqu'un de très ordinaire.
Comme il n'existe pas de profil-type de l'agresseur, la maltraitance n'est pas facile à repérer. Un enfant ne comprend pas toujours pourquoi ses proches ne se rendent compte de rien et peut se sentir abandonné. Même si l'enfant est maltraité par quelqu'un de la famille, l'entourage peut ne rien remarquer.
La découverte de la maltraitance est souvent vécue comme un choc. Beaucoup n'arrivent pas à croire que des proches sont impliqués. Ils ne comprennent pas les signaux d'alarme donnés par l'enfant. C'est pourquoi il est important que la victime parle.

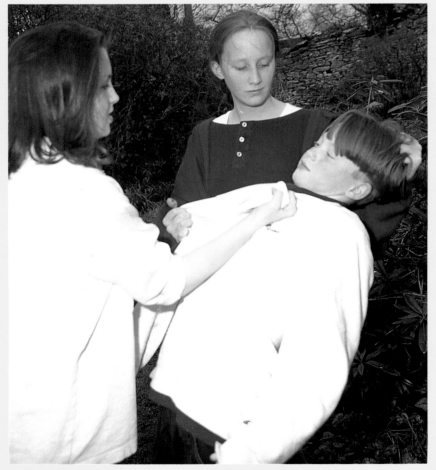

LES EFFETS DES MAUVAIS TRAITEMENTS

LA MALTRAITANCE PEUT AVOIR DES EFFETS DÉVASTATEURS, NON SEULEMENT PENDANT L'ENFANCE, MAIS POUR LA VIE ENTIÈRE.

Les traces de sévices physiques, à moins d'une attaque d'une violence extrême, disparaissent avec les années, mais les troubles affectifs sont beaucoup plus durables.
Les effets varient selon la situation. Les enfants peuvent ne pas comprendre ce qui se passe, ni pourquoi quelqu'un, qu'ils aimaient et en qui ils avaient confiance, semble soudain leur en vouloir. Ils peuvent perdre toute confiance en autrui, devenir violents dans leurs jeux. Les victimes d'abus sexuels sont souvent obsédées par leur corps et finissent par faire preuve d'agressivité sexuelle envers leurs camarades.
Bien que seul l'agresseur soit en faute, les victimes de mauvais traitements se sentent coupables, « sales », comme si elles avaient fait quelque chose de mal. Il faut que chacun de nous sache que la maltraitance a des effets destructeurs et qu'on apprenne à comprendre les signaux d'alarme. Les enfants ont besoin de savoir qu'il y a des gens pour les écouter et les croire.

Certains jeunes, victimes de violences, recherchent la solitude et refusent de se joindre aux autres.

▽ Une semaine plus tard, le professeur de Laure la garde après la classe pour discuter de son travail.

LAURE, JE SAIS QUE TU PEUX FAIRE MIEUX QUE ÇA. D'HABITUDE, TU T'APPLIQUES, MAIS DEPUIS QUELQUE TEMPS, CE N'EST PLUS ÇA. TU NE PARTICIPES MÊME PLUS AUX DISCUSSIONS EN CLASSE.

À QUOI ÇA SERT ? ET PUIS, JE M'ENNUIE.

CE N'ÉTAIT PAS LE CAS AVANT. QU'EST-CE QUI SE PASSE, LAURE ? SI QUELQUE CHOSE TE TRACASSE OU SI ÇA NE VA PAS À LA MAISON, TU PEUX TOUJOURS VENIR M'EN PARLER.

JE NE SUIS PAS TRÈS EN FORME, C'EST TOUT. JE PROMETS DE FAIRE MIEUX.

△ Laure voudrait tout dire à son professeur, mais c'est trop compliqué et elle a trop honte.

▽ Le lundi suivant, c'est l'anniversaire de Fatima. Laure est invitée à la fête.

ALLEZ, RIGOLE UN PEU ! C'EST LA FÊTE ! VIENS DONC DANSER AVEC NOUS !

NON, MERCI, JE VAIS REGARDER. JE DANSE COMME UN PIED !

CE N'EST PAS VRAI ! QU'EST-CE QUI NE VA PAS, LAURE ? INCROYABLE COMME TU AS CHANGÉ ! D'HABITUDE, C'EST TOI QUI METS DE L'AMBIANCE. MAINTENANT, TU N'ARRÊTES PAS DE BROYER DU NOIR.

QU'EST-CE QUE ÇA PEUT TE FAIRE ? LAISSE-MOI TRANQUILLE.

△ Laure s'en veut. Elle s'excuse auprès de Fatima et va danser avec les autres.

TU T'ES BIEN AMUSÉE, LAURE ? REMERCIE FATIMA DE T'AVOIR INVITÉE. ALLEZ, ON RENTRE.

MERCI, FATIMA. À DEMAIN, À L'ÉCOLE.

AU REVOIR, LAURE !

△ Cela fait si longtemps que Laure ne s'est pas amusée qu'elle en profite un maximum ce soir.

▷ La bonne humeur de Laure disparaît quand elle voit son père arriver à la fin de la soirée.

Les mauvais traitements détruisent chez la victime tout sens de sa propre valeur.
Elle finit parfois par croire qu'elle ne mérite pas d'être aimée. Elle en arrive à se détester, à penser qu'elle devrait être punie bien qu'elle n'ait rien fait de mal. Des enfants maltraités se blessent volontairement tant ils sont malheureux. D'autres vont même jusqu'à tenter de se suicider.

Les effets de la maltraitance ne sont pas toujours évidents.
Une victime cache parfois ses véritables sentiments pendant des années ou tente d'assumer autrement son trouble et sa colère.

Certains jeunes développent des stratégies pour assumer les effets de la maltraitance.
Certains font comme si de rien n'était et enfouissent les émotions trop pénibles à supporter. D'autres provoquent les violences, préférant cela à l'angoisse permanente de l'attente du moment où elles se produiront. Ils deviennent maussades, renfermés, se désintéressent d'eux-mêmes et de leur travail scolaire, ou alors s'expriment par des dessins violents et une attitude agressive. S'ils s'automutilent, c'est pour attirer l'attention des adultes. Ils veulent qu'on remarque que quelque chose ne va pas, mais ils ont peur d'en parler.

FAUT-IL EN PARLER ?

SI ON TE FAIT DU MAL, RIEN DE PLUS SIMPLE QUE D'EN PARLER À QUELQU'UN.

Eh bien non, ce n'est pas si simple, comme le prouve la majorité des enfants maltraités. Ils ont peur de ce qui arrivera s'ils parlent et craignent que les conséquences soient pires que ce qu'ils subissent déjà.

Tu sais jusqu'où l'agresseur peut aller pour faire garder son secret. Si c'est un parent ou un proche, il a peut-être dit qu'en parler détruira la famille. L'enfant continue parfois d'aimer son agresseur et de ressentir de la loyauté envers lui. Ou bien il a peur d'être accusé d'avoir provoqué ces violences. Ou bien encore il ne sait pas comment expliquer ce qui se passe, ne sait pas vers qui se tourner ou a peur de ne pas être cru.

Si l'on suspecte la maltraitance, on ne sait pas toujours comment agir. On se dit : « Ça ne me regarde pas ! » ou « Je ne veux pas m'en mêler ». Mais personne ne devrait avoir à subir de mauvais traitements. Même s'il est difficile d'en parler, il faut faire quelque chose pour y mettre fin. Chaque enfant a le droit d'être protégé contre ce fléau.

Si l'on est maltraité par quelqu'un en qui on a confiance, on risque de ne plus faire confiance à personne. Ça peut prendre des années avant de pouvoir en parler. Mais c'est un pas important et courageux, qui aidera à mettre fin aux mauvais traitements.

▽ Deux mois plus tard, Simon arrive à l'école, un matin, avec des nouvelles de Noé.

IL Y A EU UNE DISPUTE MONSTRE CHEZ LUI, CE WEEK-END. LES VOISINS ONT APPELÉ LA POLICE. ILS ONT ARRÊTÉ SON PÈRE.

▽ Simon explique qu'il a entendu ses parents en parler. Une des amies de sa mère habite près de chez Noé.

POURQUOI EST-CE QU'ILS ONT ARRÊTÉ SON PÈRE ?

APPAREMMENT, IL ÉTAIT COMPLÈTEMENT IVRE. IL AVAIT FRAPPÉ SA MÈRE ET MENAÇAIT NOÉ.

C'EST INCROYABLE. COMMENT TU SAIS TOUT ÇA ?

ON AVAIT RAISON, SON PÈRE LE BATTAIT BIEN. OÙ EST NOÉ MAINTENANT ?

ON NE SAIT PAS. APPAREMMENT, IL SERAIT PARTI AVEC SA MÈRE. AU MOINS, MAINTENANT, IL EST EN SÉCURITÉ.

J'AI HÂTE DE LE DIRE À LAURE. ELLE SE TRACASSAIT TELLEMENT POUR NOÉ.

▽ On est à deux semaines de Noël. Sophie, la sœur de Laure, est rentrée pour les vacances.

C'EST SYMPA QUE TU SOIS RENTRÉE. TU M'AS MANQUÉ, MÊME SI ON N'ARRÊTAIT PAS DE SE DISPUTER.

TOI AUSSI, TU M'AS MANQUÉ ! ALLEZ, RACONTE-MOI TOUT CE QUI S'EST PASSÉ ICI DEPUIS MON DÉPART.

▽ Laure voudrait bien tout raconter à Sophie mais elle ne sait pas comment. Alors elle lui parle de Noé.

TU SAIS, TOI, POURQUOI SON PÈRE LE MALTRAITE COMME ÇA ? LES PARENTS NE SONT PAS CENSÉS FAIRE DU MAL À LEURS ENFANTS !

▽ Laure dit qu'elle est triste pour Noé. Quelques jours plus tard, Laure, Luc et leur mère entendent Sophie et son père se disputer.

QU'EST-CE QUI SE PASSE ICI ?

RIEN DE BIEN GRAVE. JUSTE UN MALENTENDU, HEIN, SOPHIE !

NON, LAURE, POURTANT CERTAINS LE FONT. TU NE DIS RIEN. TU ES SÛRE QUE ÇA VA ?

SI ON VEUT. DÉSOLÉE, MAMAN, JE NE VOULAIS PAS T'INQUIÉTER.

▽ Le lendemain, les sœurs font des courses. Sophie voit que Laure est malheureuse.

> **QU'EST-CE QUI S'EST PASSÉ AU JUSTE, HIER SOIR ? VOUS VOUS DISPUTIEZ À CAUSE DE MOI ?**

> **QU'EST-CE QUI TE FAIT DIRE ÇA, LAURE ? IL FAUT QU'ON PARLE. VIENS, ON VA PRENDRE UN CAFÉ.**

▽ Elles s'installent dans un coin tranquille.

> **TU N'AS PAS QUELQUE CHOSE À ME DIRE ? TU PEUX ME FAIRE CONFIANCE, LAURE.**

> **JE NE SAIS PLUS À QUI FAIRE CONFIANCE ! JE NE SAIS PLUS OÙ J'EN SUIS, SOPHIE !**

▽ Finalement, Laure se décide à dire à Sophie que son père abuse d'elle.

> **DIS QUE TU ME CROIS. JE N'INVENTE RIEN, JE TE JURE ! TU NE PEUX PAS SAVOIR CE QUE C'EST. J'AI TELLEMENT HONTE !**

> **BIEN SÛR QUE JE TE CROIS ! ET JE SAIS EXACTEMENT CE QUE C'EST !**

▷ Sophie explique que leur père a aussi abusé d'elle quand elle était petite.

> **UN JOUR, IL A ARRÊTÉ. IL M'A JURÉ QU'IL NE REFERAIT PLUS JAMAIS ÇA. IL M'A SUPPLIÉE DE NE RIEN DIRE, SINON CELA DÉTRUIRAIT NOTRE FAMILLE. JE ME SENS RESPONSABLE DE CE QUI T'ARRIVE. J'AURAIS DÛ EN PARLER.**

> **PAPA M'A FAIT JURER DE NE RIEN DIRE, C'EST NOTRE « PETIT SECRET ». D'UN CÔTÉ, C'ÉTAIT BIEN D'ÊTRE SA CHOUCHOUTE, MAIS C'EST TELLEMENT MAL.**

> **MAIS NON, LAURE, TU N'AS RIEN FAIT DE MAL, ET MOI NON PLUS. PAPA N'A PAS LE DROIT DE NOUS FAIRE ÇA.**

△ C'est pour ça que Sophie et son père se sont disputés. Il a menti quand il a dit qu'il n'avait pas touché Laure.

▽ En rentrant, Laure demande ce qui va se passer.

> **HIER SOIR, J'AI DIT À PAPA QUE SI JAMAIS IL VOUS FAISAIT DU MAL, À TOI OU À LUC, JE NE LE PROTÉGERAIS PLUS. TU TE SENS PRÊTE À EN PARLER À MAMAN ?**

> **OUI, JE CROIS, MAIS J'AI PEUR !**

Sophie a découvert que son père a aussi abusé de sa jeune sœur.
Elle sait désormais que la personne qui abuse d'un enfant peut aussi abuser des autres enfants de la famille, parfois longtemps sans qu'on le sache, parce que les victimes ont dû jurer de garder le secret.

Laure craint que sa mère ne la croie pas.
Cette crainte peut empêcher une victime de se confier. Pourtant, la plupart des gens savent qu'un enfant n'accusera pas quelqu'un d'abus sexuels à la légère et le prennent très au sérieux.

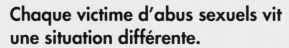

Chaque victime d'abus sexuels vit une situation différente.
La gravité et la fréquence des abus n'est pas toujours la même pour tous. Quoiqu'il en soit, toute forme d'abus est inadmissible.
Les abus sexuels, ça ne passe pas « tout seul ». L'agresseur peut lâcher une victime, mais comme le père de Laura, il risque de s'en prendre à quelqu'un d'autre. C'est pour cela qu'il est vital d'en parler à quelqu'un de confiance.

LA PROTECTION DE L'ENFANCE ET LA LOI

C'EST PENDANT L'ENFANCE QU'ON PREND CONSCIENCE DU MONDE ET DE SA PROPRE IDENTITÉ.

La maltraitance perturbe ce processus. C'est pour cela que dans la plupart des pays, c'est un crime et que des procédures sont mises en place pour assurer la protection de l'enfance.
Ces procédures varient d'un pays à l'autre, mais partout, le bien-être de l'enfant passe en premier. Si on soupçonne la maltraitance, la police et les services sociaux interviennent : ils interrogent l'enfant et la personne qu'il accuse.
Si on estime que l'enfant est en danger, on le retire du milieu familial.
La séparation est souvent douloureuse pour l'enfant et la famille, mais ne dure que le temps nécessaire.

On doit alors affronter d'autres procédures légales, par exemple témoigner au tribunal. Raconter ce qui s'est passé est terrifiant et bouleversant pour l'enfant, alors on fait tout pour qu'il en souffre le moins possible. Certains ont le droit d'enregistrer leur déposition sur vidéo pour éviter l'interrogatoire au tribunal.
D'autres utilisent une poupée pour expliquer ce qu'ils ne savent pas dire avec des mots.

Les allégations de maltraitance sont prises très au sérieux. Tout est fait pour protéger l'enfant et assurer son bien-être.

▽ Une fois leur père parti au travail, Laure et Sophie parlent à leur mère. Elle est effondrée.

PARDON, PARDON, MAMAN ! JE N'AI PAS FAIT EXPRÈS.

LAURE ! RIEN N'EST DE TA FAUTE. NI DE LA TIENNE, SOPHIE. J'AURAIS DÛ ME RENDRE COMPTE DE QUELQUE CHOSE. JE N'ARRIVE PAS À Y CROIRE !

COMMENT A-T-IL PU FAIRE ÇA ? MES PAUVRES PETITES ! MAIS IL FALLAIT M'EN PARLER PLUS TÔT.

JE VOULAIS LE FAIRE, MAIS J'AVAIS PEUR. J'AIMAIS PAPA, JE NE COMPRENAIS PAS CE QUI SE PASSAIT. À LA FIN, J'AI REFOULÉ TOUTE MA RANCŒUR.

▷ Mme Aubry dit qu'elle a besoin d'un peu de temps pour réfléchir. L'après-midi, elle appelle la police.

JE SAIS. QU'EST-CE QUI VA ARRIVER À PAPA ?

▽ La police enregistre les dépositions de Laure et de Sophie.

▽ À son retour de travail, M. Aubry est arrêté par la police.

TU AS BEAUCOUP DE COURAGE, LAURE. CE N'EST PAS FACILE DE ME RACONTER TOUT CELA.

MADAME AUBRY, NOUS ALLONS INTERROGER VOS FILLES AU COMMISSARIAT. LAURE DEVRA SUBIR UN EXAMEN MÉDICAL.

MAIS C'EST RIDICULE ! C'EST UNE ERREUR ! QU'EST-CE QU'ELLES SONT ALLÉES RACONTER SUR MOI ? ELLES MENTENT ! ENFIN, CHÉRIE, TU ME CROIS ?

POURQUOI VEUX-TU QUE TES FILLES MENTENT LÀ-DESSUS ? ELLES T'AIMENT ! C'EST TOI QUI LES AS TRAHIES. J'AI L'IMPRESSION DE NE PLUS TE CONNAÎTRE.

JE VAIS M'ARRANGER POUR QU'ELLES ET LUC AILLENT CHEZ MA SŒUR CE SOIR.

▽ Le lendemain, l'assistante sociale passe voir Laure et Sophie pour leur expliquer ce qui va se passer.

NE T'INQUIÈTE PAS. TOUT SERA FAIT POUR TE FACILITER LES CHOSES, MAIS JE NE PEUX PAS TE CACHER QUE CE NE SERA PAS UNE PARTIE DE PLAISIR.

VOUS SAVEZ QUE VOTRE PÈRE A ÉTÉ ARRÊTÉ. COMME IL NIE LES ACCUSATIONS, IL FAUDRA PASSER AU TRIBUNAL.

JE N'ARRIVE PAS À CROIRE QU'IL NOUS ACCUSE DE MENTIR.

TOUT ÇA N'ARRIVERAIT PAS SI ON N'AVAIT RIEN DIT.

ET PAPA CONTINUERAIT À ABUSER DE TOI, LAURE ! ON A FAIT CE QU'IL FALLAIT.

IL FAUDRA QU'ON PARLE AU TRIBUNAL ?

◁ Bien que se sentant encore coupable, Laure sait que Sophie a raison.

On aimerait bien qu'une fois la maltraitance découverte et stoppée, la vie reprenne tout de suite son cours normal.
Malheureusement, ce n'est pas le cas. Comme le dit l'assistance sociale de Laure, il y a encore en perspective des moments difficiles à vivre. Certains enfants sont tentés d'abandonner, mais Laure sait qu'il faut aller jusqu'au bout, que ce qui l'attend ne peut être pire que ce qu'elle a subi.

Le père de Laure et Sophie a nié les allégations d'abus sexuels.
Les agresseurs d'enfants n'avouent pas volontiers leur crime. Comme la loi leur accorde aussi le droit à la parole, leurs victimes doivent écouter leur bourreau, à qui elles restent souvent attachées, nier leurs allégations, mentir et refuser d'admettre ses actes. Le juge fait son possible pour que cette épreuve soit la moins traumatisante possible.

On doit empêcher un agresseur de poursuivre ses agissements.
Les opinions varient sur les sanctions à infliger dans les cas de maltraitance. En général, ça dépend des circonstances. Certains vont en prison, d'autres suivent des thérapies avec lesquelles on les aide à examiner leurs actions et à modifier leur comportement.

FAIRE FACE À LA MALTRAITANCE

C'EST UN SUJET QU'ON ÉVITE SOUVENT D'ABORDER, SOIT ON LE NIE, SOIT ON PENSE QUE CELA N'ARRIVE QU'AUX AUTRES.

Faire face à ce problème n'est facile pour personne, mais l'ignorer ne le supprime pas.

La loi reconnaît que c'est un crime grave, mais elle intervient quand il est trop tard : l'enfant a déjà souffert physiquement ou mentalement. Tant que nous ne ferons pas tous face au problème, des enfants seront maltraités.

Il est important de croire les déclarations d'un enfant, aussi incroyables soient-elles sur le moment. Il faut cependant agir avec mesure, de façon à traiter rapidement et avec ménagement les cas qui ne relèvent pas de la maltraitance.

Dans ces cas-là, on doit aider et écouter l'enfant, pour comprendre ce qui l'a poussé à faire de telles accusations.

Un agresseur dit parfois qu'il sait que ce qu'il fait est mal, mais qu'il ne peut s'en empêcher. Il a alors besoin d'aide pour ne pas récidiver.

Il est vital d'éduquer à la fois les enfants et les adultes, de les informer sur la maltraitance et les moyens de s'en protéger.

27

▽ M. Aubry a finalement avoué et a été condammé à 4 ans de prison ouverte. Un an plus tard, Laure et Sophie continuent d'aller voir un psychologue.

C'EST DUR D'EN PARLER, ENCORE MAINTENANT. JE L'AI GARDÉ POUR MOI SI LONGTEMPS. D'UN CÔTÉ, JE L'AIME ; DE L'AUTRE, JE LE HAIS POUR CE QU'IL A FAIT.

C'EST NORMAL. C'EST PERTURBANT D'AIMER ET DE HAÏR QUELQU'UN EN MÊME TEMPS. VOTRE PÈRE A SES BONS CÔTÉS, MAIS CE QU'IL VOUS A FAIT EST TRÈS MAL. ET TOI, LAURE ?

JE PENSE TOUJOURS QUE RIEN NE SERAIT ARRIVÉ À LAURE SI J'EN AVAIS PARLÉ PLUS TÔT.

NE DIS PAS ÇA, SOPHIE. CE N'EST PAS TA FAUTE.

JE NE SAIS PAS SI JE POURRAI À NOUVEAU L'AIMER. IL M'A FAIT ME SENTIR SI COUPABLE ET SI HONTEUSE. J'AVAIS L'IMPRESSION QUE TOUT ÉTAIT DE MA FAUTE.

MAMAN L'A REVU. MOI, JE NE PEUX PAS. EN FAIT, ELLE A ÉTÉ FORMIDABLE PENDANT TOUTE CETTE HISTOIRE. C'EST ELLE QUI A DÛ TOUT DIRE À LUC.

VOTRE PÈRE SUIT UN PROGRAMME DE RÉHABILITATION. IL DIT QU'IL REGRETTE CE QU'IL A FAIT ET VOUDRAIT VOUS VOIR. QU'EN PENSEZ-VOUS ?

▽ Mme Aubry a déménagé après le procès. Laure est dans une nouvelle école. Un soir, elle rencontre Noé.

JE SAIS. JE PENSAIS QU'ELLE M'EN VOUDRAIT POUR PAPA, MAIS NON, ELLE A ÉTÉ SUPER.

△ Les deux jeunes filles disent qu'il est encore trop tôt pour ça.

ÇA ME FAIT PLAISIR DE TE VOIR ! COMMENT ÇA VA ? ON M'A DIT QUE TON PÈRE ÉTAIT REVENU.

C'EST VRAI. IL NE BOIT PLUS. ÇA VA MIEUX MAINTENANT À LA MAISON. TOUT LE MONDE DEMANDE DE TES NOUVELLES À L'ÉCOLE.

▽ Finalement, Laure se décide à aller à l'anniversaire.

TU ES JOLIE, LAURE !

ÇA ME FAIT PLAISIR DE TE VOIR SOURIRE ! TU ES CONTENTE D'ALLER CHEZ SIMON ?

C'EST LA FÊTE D'ANNIVERSAIRE DE SIMON DANS QUINZE JOURS. TU VIENS ?

OUI PEUT-ÊTRE, ÇA ME PLAIRAIT.

ÇA ME FAIT UN PEU PEUR, MAIS ÇA SERA SUPER DE REVOIR TOUS MES COPAINS.

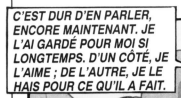

Laure ne sait pas si elle pourra pardonner à son père.
Certaines victimes finissent par pardonner à leur agresseur, d'autres n'y arrivent jamais. Si elles n'oublient jamais les mauvais traitements reçus, beaucoup s'en remettent, mais c'est un processus long et difficile, qui nécessite aide et soutien de la part des proches.

Le père de Noé est aidé dans sa lutte contre l'alcool.
Il a reconnu qu'il avait un problème d'alcoolisme qui le rendait agressif. C'est un pas dans la bonne direction. Quand un agresseur veut changer son comportement, il doit faire d'énormes efforts, mais il peut y arriver.

Chaque enfant, chaque adolescent a des droits.
C'est notre devoir à tous d'assurer à tous les enfants et adolescents la protection et la sécurité dont ils ont besoin pour un développement physique et affectif harmonieux. Tous les enfants ont le droit de profiter au mieux de la vie.

ET TOI, QUE PEUX-TU FAIRE ?

APRÈS AVOIR LU CE LIVRE, TU COMPRENDS MIEUX CE QU'EST LA MALTRAITANCE ET SES EFFETS SUR LA VIE DES PERSONNES.

Tu sais désormais qu'aucun enfant ou adolescent ne devrait être maltraité et que ce n'est jamais sa faute.
Si tu as l'impression, ou la certitude, qu'une personne que tu connais est maltraitée, parles-en à quelqu'un, mais pas à n'importe qui : choisis un membre de ta famille, un professeur ou une autre grande personne en qui tu as confiance. Si tu es toi-même victime de mauvais traitements, rappelle-toi qu'on peut y mettre fin. C'est difficile de se décider à en parler, surtout si tu aimes encore la personne qui te maltraite ou bien si elle t'a menacé et fait jurer de garder le secret.
Cela entraînera des bouleversements dans ta vie et tu devras affronter des sentiments et des moments douloureux. Quoiqu'il en soit, tu as le droit d'être protégé contre la maltraitance.

France :
AFIREM
149, rue de Sèvres,
75015 Paris
Tél. : 01 44 49 47 25

AFSEA
118, rue du Château
des Rentiers,
75013 Paris
Tél. : 01 45 83 50 60

Aide aux parents d'enfants victimes
22, rue Baudin,
92130 Issy les Moulineaux
Tél. : 01 46 48 35 94

LES ADULTES ONT AUSSI UNE RESPONSABILITÉ, CELLE D'ÉCOUTER ET DE CROIRE LES ENFANTS, MÊME SI CE QU'ILS DISENT EST DUR À ACCEPTER.

Il est utile de savoir reconnaître les symptômes, physiques ou psychologiques, de la maltraitance.

Si tu as lu ce livre avec un adulte, pourquoi ne pas échanger vos idées sur les thèmes évoqués ?
Si tu es victime de maltraitance, ou si tu voudrais être mieux informé à ce sujet, adresse-toi aux organisations mentionnées ci-dessous. Là, tu pourras parler à quelqu'un qui sera à même de t'apporter l'aide et le soutien dont tu as besoin.

SOS Enfants sans frontières
56, rue Tocqueville,
75017 Paris
Tél. : 01 43 80 80 80

COFRADE
7, rue St Lazare,
75009 Paris
Tél. : 01 42 80 96 10

Comité Français pour L'UNICEF
3, rue Duguay Trouin,
75006 Paris
Tél. : 01 44 39 77 77

Association Père Mère Enfant
35, rue des États Généraux,
78000 Versailles
Tél. : 01 30 21 75 55

Belgique :

SOS Enfants
Bd de la Constitution 119,
4000 Liège
Tél. : (04) 341 10 99

Centre d'Aide à l'Enfance
216, rue de Haerne,
1040 Bruxelles
Tél. : (02) 648 51 36

Suisse :

L'Hospice général
12, cours de Rive,
1204 Genève
Tél. : 022 787 52-15

Québec :

Commission des droits de la personne et des droits de la jeunesse
360, rue Saint-Jacques,
Montréal (Québec)
H2Y 1P5
Tél. : 514-873-5146

INDEX

Origine des photographies

Toutes les photographies de ce livre sont de Roger Vlitos à part les pages suivantes :
1: Mal Bradley ; 9 haut, 23 bas : NSPCC.
Note de l'éditeur : les personnes des photographies sont des modèles.